Victor, l'invincible

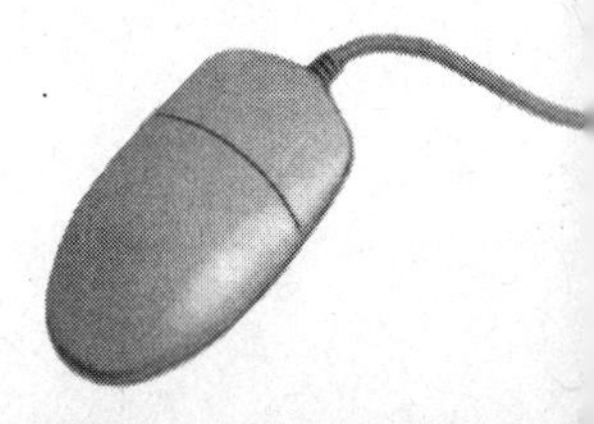

Victor, l'invincible

un roman de Denis Vézina
illustré par
Philippe Béha

SOULIÈRES ÉDITEUR

case postale 36563 — 598, rue Victoria
Saint-Lambert (Québec) J4P 3S8

Soulières éditeur remercie le Conseil des Arts du Canada et la SODEC de l'aide accordée à son programme de publication et reconnaît l'aide financière du gouvernement du Canada par l'entremise du Programme d'Aide au Développement de l'Industrie de l'Édition (PADIÉ) pour ses activités d'édition. Soulières éditeur bénéficie également du Programme de crédit d'impôt pour l'édition de livres – Gestion Sodec – du gouvernement du Québec.

Dépôt légal : 2008
Bibliothèque nationale du Canada
Bibliothèque nationale du Québec

Données de catalogage avant publication (Canada)

Vézina, Denis

Victor, l'invincible

(Collection Ma petite vache a mal aux pattes ; 84)
Pour enfants de 6 ans et plus.

ISBN 978-2-89607-072-5

I. Béha, Philippe. II. Titre. III. Collection.

PS8643.E937V522 2008 jC843'.6 C2007-942296-9
PS9643.E937V522 2008

Illustrations de la couverture
et illustrations intérieures :
Philippe Béha

Conception graphique de la couverture :
Annie Pencrec'h

Logo de la collection :
Caroline Merola

ISBN 978-2-89607-072-5

58684

Bonne lecture à

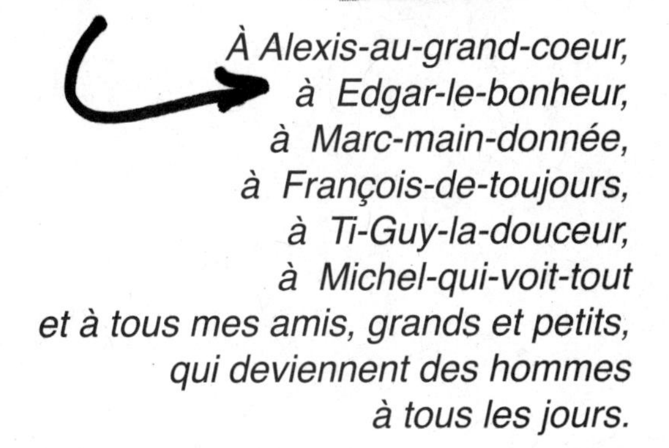

À Alexis-au-grand-coeur,
à Edgar-le-bonheur,
à Marc-main-donnée,
à François-de-toujours,
à Ti-Guy-la-douceur,
à Michel-qui-voit-tout
et à tous mes amis, grands et petits,
qui deviennent des hommes
à tous les jours.

Denis
xx

Victor I, II, III, IV

Je m'appelle Victor. Mon fils s'appelle Victor. Mon petit-fils s'appelle Victor. Le chat de ma fille s'appelle Victor. Quatre Victor dans la même famille, c'est beaucoup. Mais tout ce que nous avons en commun, c'est le prénom. Nous sommes des Victor totalement différents.

Par exemple, mon petit-fils, Victor IV est le plus grand chialeur-brailleur-pleureur de l'univers.

Mon fils, Victor II, est crieur en chef au port de la ville. C'est le plus grand crieur en chef de tous les ports du monde.

Victor III, le chat de ma fille, fait un effet monstre à tous ceux qu'il rencontre sur son chemin. Victor III est le matou le plus respecté de toute la ruelle. Même qu'il fait peur au chien de monsieur Martin. Il séduit aussi les vieilles dames. Il danse sur les poubelles et il chante toute la nuit. Ma fille dit que Victor est le chat le plus populaire de la planète.

Et moi, Victor I, je suis le président d'une compagnie qui fabrique des dentiers. On dit de moi que j'ai beaucoup de mordant.

Mais il n'en a pas toujours été ainsi.

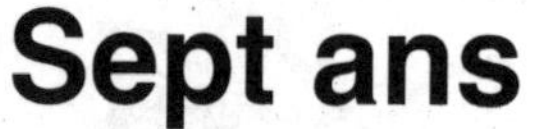

Sept ans

Lorsque j'étais petit, j'avais peur de tout. Pas une seule journée ne se passait sans que je ne découvre une nouvelle peur.

Dès mon réveil, je sentais mon coeur palpiter à l'idée qu'un mini monstre à trois têtes et huit bras se cachait dans le tiroir de ma commode. Prendre une paire de chaussettes devenait la pire scène d'un film d'horreur. J'étais certain qu'avec leur bouche pleine de dents, une première tête me mordrait le bras, la seconde m'empêcherait de hurler et la

troisième me croquerait une jambe pour m'entraîner dans la grotte sombre camouflée au fond de mon tiroir.

Descendre à la cave avec mon père était une aventure épouvante au pays des morts-vivants. Le sol en terre battue ondulait comme celui d'un cimetière. Des milliers d'araignées voltigeaient au-dessus de nos têtes. J'avais peur des araignées évidemment, mais celles-là étaient encore plus affreuses que celles qui vivaient dans la cour. Elles étaient blanches et translucides. Ce devait sûrement être les fantômes des araignées que j'écrasais avec dégoût durant tout l'été.

Un petit chemin bordé de milliers de boîtes poussiéreuses, de valises douteuses et de coffres d'un autre âge menait à la fournaise brûlante. À côté de cette cage de fonte où le feu dansait, gisaient les ossements rouillés du cadavre d'un vieux poêle.

Pour parcourir ce chemin tortueux, mon père devait se pencher. Les êtres qui s'y aventuraient devaient être vraiment petits. Un jour, il en a même attrapé un. Il me disait d'un ton rassurant que ce n'était qu'un simple rat. Pourtant, celui que mon père avait sorti d'un pot de peinture était vert et luisant. Étrange d'ailleurs, le rat était du même vert que les toilettes. C'était assurément pour mieux s'y cacher lorsque je me levais la nuit pour faire pipi.

Le jour de mes sept ans (je m'en rappelle comme si c'était hier), ma mère m'amena au centre commercial. Je ne voulais pas y aller parce qu'il y avait trop de monde et que j'avais peur de me perdre. Mais elle réussit à me convaincre. Elle voulait me faire plaisir, disait-elle. Alors pour ne pas la décevoir, nous sommes partis tous les deux.

Au centre du carrefour, il y avait un grand chapiteau. Et là, hor-

reur, un extraterrestre au visage tout blanc et aux cheveux mauves vêtu d'une combinaison fluorescente à pois orange et bleus s'avança vers moi. À la place du nez, il avait une boule rouge sang et des paillettes argentées coulaient de ses yeux exorbités. Je hurlai à en perdre haleine. Après tout, c'était la première fois que je rencontrais un clown.

Ainsi passèrent les jours de ma petite enfance. J'avais peur des poils de mascottes et des ficelles de marionnettes. J'avais peur des vers de terre et des roches qui roulent sur le sable, des ours qui font du camping et des oiseaux qui crottent sur les vitres d'auto. J'avais peur du « pouche-pouche » pour les plantes et des poteaux de fils électriques. J'avais peur des tunnels trop longs et des ponts trop hauts (je n'arrivais pas à retenir mon souffle assez longtemps !). J'avais peur des revolvers des policiers et des seringues des médecins. J'avais peur des feuilles rouges qui tombaient du ciel et des microbes qui sautillaient en ricanant.

Et lorsqu'une journée se terminait, je me déshabillais et je

déposais lentement mes vêtements de manière à ce que leur ombre ne forme pas le visage d'un démon.

Je couchais toujours avec mes chaussettes. Non seulement j'avais peur qu'au cours de mon sommeil un feu embrase la maison et m'oblige à sortir pieds nus, mais, le matin, j'évitais ainsi d'ouvrir le tiroir de ma commode.

Neuf ans

Au cours de mes premières années d'école, les choses ne se sont pas arrangées, bien au contraire.

Il y avait tellement de règles que je n'arrivais pas à me les rappeler. À toutes les peurs que j'accumulais déjà s'ajoutèrent celles de parler lorsqu'il ne fallait pas, de ne pas savoir la réponse, de ne pas réussir. J'avais peur de décevoir mon professeur, ma mère et mon père. Et comble de malheur, maintenant, j'avais peur des autres. J'avais peur de ceux que je devais côtoyer tous les jours. J'avais peur des élèves qui couraient en tous sens, qui criaient, qui hurlaient et qui se chamaillaient. Je me sentais si différent et si honteux de l'être. J'avais même peur de parler à Sissi, la plus gentille fille de la classe. Elle était si jolie. Je fondais sur place en la voyant, mais jamais je n'osais lui adresser la parole.

Et puis, un jour, tout bascula.

Mon professeur, monsieur Valois, nous avait demandé de préparer un exposé oral sur un lieu imaginaire. Devant toute la classe, nous devions lire la description de la planète de nos rêves.

Durant plusieurs jours, nous nous sommes demandé à quoi ressemblait cette planète. Y faisait-il toujours beau et chaud ? Y avait-il des enfants ? Y avait-il des guerres ? Y avait-il des familles qui mouraient de faim ? Y avait-il des vaisseaux spatiaux pour parcourir l'univers ? Y avait-il des gens de plusieurs couleurs ? Des milliers de questions se bousculaient dans nos têtes.

Moi, c'est bien simple, mon idée était faite depuis longtemps. Sur ma planète imaginaire, il n'y avait rien ni personne. Au moins, comme ça, il n'y avait aucune peur à avoir.

Le jour de ma présentation arriva. J'avais si peur que les autres élèves de ma classe rient de moi que je sentais mes bras et mes jambes s'engourdir et me paralyser sur place. Mon ventre devenait aussi dur qu'un beigne sorti tout droit du congélateur.

Des gargouillis y résonnaient comme un concert de violons désaccordés. J'avais mal à la peau. Mon coeur pétaradait dans ma tête. J'entendais les voix des autres élèves comme un bourdonnement lointain.

Et puis j'entendis mon nom briser le vacarme de ma peur.

— Victor ! C'est à ton tour ! lança monsieur Valois comme s'il annonçait ma condamnation à mort.

Je me levai de mon pupitre et je fis quelques pas en direction de l'estrade. Je n'avais plus de salive dans la bouche. Mes premiers mots ressemblèrent au cri d'un petit oiseau qui tombe du nid. Tout le monde éclata de rire. Je sentis la fièvre couvrir mon visage d'immenses plaques rouges.

— Ma planète imaginaire..., tentai-je à nouveau. Ma planète imaginaire...

— Il rougit. Il rougit. Il rougit, entonna Ferdinand en ricanant.

— Ma planète imaginaire s'appelle...

Tout le monde éclata d'un rire assourdissant qui me déchira le coeur. Plus rouge que ça, tu exploses ! Dans mon pantalon, un pipi honteux glissait le long de ma jambe jusqu'au sol. Dans ce petit lac doré s'étirant à mes pieds, j'aurais voulu me noyer et disparaître à jamais.

À partir de ce jour, ma vie n'a plus jamais été la même.

Il fallait bien me faire une raison. Ma planète déserte n'existait pas. J'étais condamné à vivre avec les autres. Ce dont je me rendais compte, c'est que tout me touchait. Chaque mot, chaque geste me semblait être une attaque ou une menace personnelle. Un rire éclatait, un regard me fixait et j'imaginais le pire. Et le pire, c'est que j'avais souvent raison ! Je ne m'étais pas fait d'amis en rougissant et en bégayant aussi souvent. J'étais devenu celui de qui on rit, celui qui n'a pas la cote. À la récréation, j'étais celui qu'on choisit en dernier pour la partie de ballon. J'avais si peur d'échapper ce sacré ballon, qu'évidemment je l'échappais toujours. Et, avec raison, mon équipe m'attribuait la défaite.

— C'est parce que Victor est dans notre équipe que nous avons perdu ! criaient mes coéquipiers.

Un cercle vicieux me faisait perdre tous mes moyens. La peur me rendait malhabile. Mon manque d'adresse m'isolait des autres et, plus je m'isolais, plus je devenais timide et vulnérable aux railleries, aux sarcasmes et aux plus mauvaises blagues.

Je devais trouver une solution.

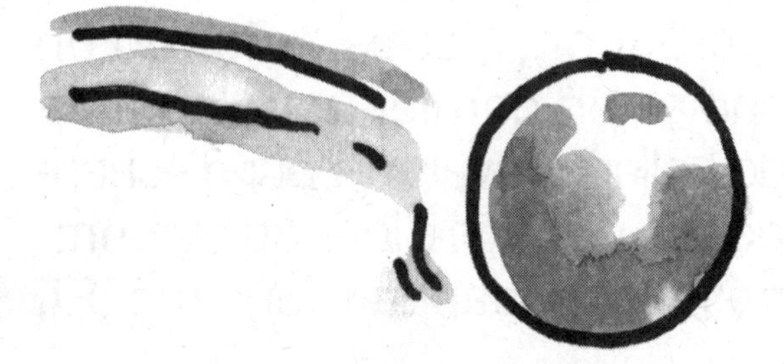

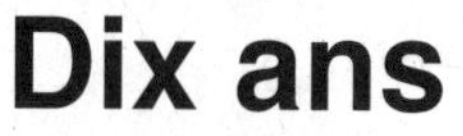

Dix ans

Je n'étais plus un tout petit enfant. Désormais, le sous-sol me paraissait plus propice à me servir de refuge qu'à abriter les monstres de mes cauchemars. J'y avais aménagé une minuscule pièce qui servait autrefois à entreposer le charbon. Ce n'était pas grand, mais c'était chez moi. Je pouvais m'y enfermer à ma guise sans être dérangé. C'était mon lieu secret, mon « laboratoire » comme j'aimais l'appeler. Personne ne pouvait entrer sans ma permission. J'étais le seul à connaître la combinaison du cadenas. C'est là que j'entrepris de changer le cours de ma vie.

En fouillant dans les coffres et les boîtes qui jonchaient le sous-sol, j'avais découvert des centaines d'objets de toutes sortes, des moteurs et des grille-pain, des roues et des montres, des élastiques et des cordages, des tissus et des vêtements. Je rassemblais tous ces morceaux dans mon laboratoire. Durant mes temps libres, je travaillais sans relâche. Et puis vint le grand jour ! J'avais enfin réalisé mon rêve. Je m'étais fabriqué une lourde carapace, une armure à l'épreuve des sarcasmes, de la gêne et de la peur. Cette fois, plus personne ne parviendrait à m'atteindre, plus personne ne rirait de moi. À l'intérieur de cet

habit de métal et de verre, je m'installais confortablement aux commandes de mon nouveau moi. J'y entrais par une minuscule porte fermée à clé et dissimulée dans mon dos. L'intérieur n'était pas très spacieux, mais tout était capitonné grâce à de vieux coussins que j'avais trouvés dans des boîtes à chapeaux. Comme j'étais de petite taille, je m'y sentais à l'aise.

Je n'étais encore qu'un enfant, mais mon armure avait la taille d'un homme. Lorsque mes petits bras se glissaient dans les bras de mon nouveau moi, ils devenaient aussi forts que ceux d'un haltérophile. Lorsque mes jambes s'inséraient dans mes nouvelles jambes, elles devenaient aussi puissantes que celles d'un marathonien. En guise de visage, j'avais installé un miroir légèrement déformant. Moi, je pouvais voir à l'extérieur, mais si une personne me parlait de près, elle ne voyait que le reflet de son propre visage.

À l'intérieur, un tableau plein de boutons et de manivelles me permettait de tout contrôler. Des orifices dissimulés dans ma perruque me permettaient de voir derrière moi. Un énorme dentier mécanique pouvait mordre aussi fort que le chien le plus féroce. Au fond de ma gorge, un haut-parleur modifiait ma voix. Non seulement il l'amplifiait, mais il me donnait une voix d'outre-tombe, basse et monocorde. D'un simple déclic, les oreilles de mon armure se bouchaient automatiquement. Plus jamais je n'entendrais une parole bles-

sante. Terminée la peur de me faire traiter de tous les noms. Pour ma vue, de puissantes jumelles me permettaient de voir tous ceux qui voulaient m'approcher. D'ailleurs, si quelqu'un y parvenait par surprise, j'avais installé plusieurs systèmes d'alarme. L'un d'eux, dont j'étais particulièrement fier, lançait une décharge électrique à quiconque osait me toucher. Personne ne viendrait plus me bousculer dans les casiers ou me pousser dans l'escalier. Fini le temps où j'étais la victime. Cette fois, je passais à l'offensive. J'avais même des couteaux au bout des doigts, des chaînes autour de la taille, et un vieux chalumeau me servait de lance-flammes. Approchez pour voir !

Enfin, je devenais un dur à cuire. Enfin, je n'avais plus peur de rien. Enfin, je devenais un homme. Un vrai !

Onze ans

Le jour de l'Halloween a été la première occasion de me montrer au grand jour. Exceptionnellement, la direction de mon école avait permis aux élèves de se costumer pour venir à l'école.

Ce matin-là, après mon petit déjeuner, j'ai enfilé mon armure et je suis parti pour l'école. Quelle surprise j'ai provoquée en entrant dans ma classe ! Même le grand Ferdinand, celui qui était craint de tous, n'en revenait pas. Il avait l'air d'un pot de fleurs qui manque d'eau. Sa bouche ne parvenait

plus à se refermer et on aurait dit que ses yeux allaient rouler sur le plancher tellement ils étaient exorbités. Même mon professeur était étonné. Il me fit venir en avant de la classe pour décrire mon costume. C'est là que j'ai compris que j'avais réussi mon coup. Je me suis levé d'un bond. J'ai marché d'un pas lourd et assuré. Et là, devant tous les élèves, j'ai expliqué tout ce que j'avais réalisé, tout ce que mon armure me permettait de faire, tout ce que j'étais devenu. Comble de bonheur, je n'avais pas peur. Caché derrière mon masque en miroir, personne ne pouvait voir si je rougissais, si je tremblais, si je faisais pipi dans mes culottes. Et même s'ils avaient pu voir, ils n'auraient rien vu, parce que, sous mon armure, je ne rougissais plus. Je n'étais plus timide. Je n'avais peur de rien ni de personne.

Lorsque l'heure de la récréation sonna, je fus le premier à être choisi dans l'équipe de Ferdinand. Durant la partie, j'ai attrapé le ballon plusieurs fois sans jamais l'échapper. Même qu'à un moment j'ai lancé le ballon tellement fort sur un adversaire qu'il s'est mis à saigner du nez et à pleurer. « Bébé la la, bébé la la ! » La partie était gagnée. Toute mon équipe était fière de moi.

En revenant à la maison, j'ai emprunté le raccourci par le chemin du parc. D'habitude, j'évitais de le prendre de peur de faire de mauvaises rencontres

ou de croiser un chien méchant. Tout en faisant fuir les oiseaux, les écureuils et les feuilles, j'ai vu, grâce à mes jumelles, des grands de l'école secondaire s'approcher de moi en riant, puis disparaître dans un buisson. Je savais bien qu'ils m'attendaient. J'ai mis toutes mes alarmes en fonction. À quelques pas de distance, le buisson frissonna et il en sortit trois grands gaillards qui avaient du poil au menton.

Auparavant, j'avais terriblement peur des grands qui avaient du poil au menton. Cette fois-ci, lorsque l'un d'eux s'approcha de trop près, j'ouvris mon chalumeau et lui brûla la barbichette. Il s'éloigna en hurlant alors que j'éclatais d'un rire aussi lugubre que celui de Dracula.

Un second voulut m'empoigner par derrière, mais il reçut une décharge électrique qui le projeta par terre.

Le troisième fit marche arrière et décida de battre en retraite en aidant les deux autres à s'enfuir.

Jamais je n'avais été aussi fier de moi. Jamais je ne m'étais senti aussi puissant.

De retour à la maison, mon père me demanda de retirer mon armure avant de m'installer à table pour le souper. L'idée ne m'enchantait guère. J'étais tellement bien dans mon nouveau moi. Mon armure me libérait de mes peurs. Je ne voulais plus redevenir le petit garçon craintif que j'étais.

— Non, répondis-je. Je n'enlèverai plus jamais mon armure. Je la garde.

— Victor, s'impatienta mon père. Tu as fabriqué un costume d'Halloween extraordinaire, mais tu ne peux pas rester dans cet accoutrement le reste de ta vie. Victor, Victor ! Tu m'entends ?

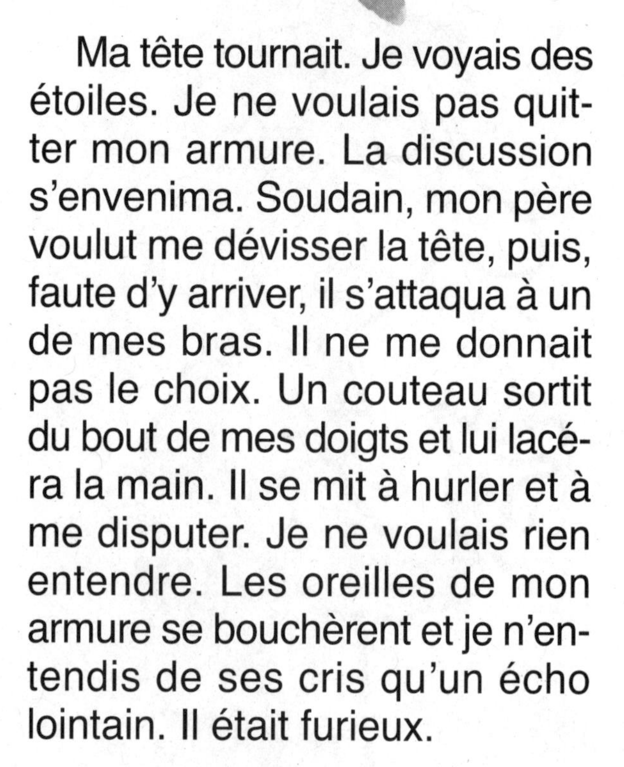

Ma tête tournait. Je voyais des étoiles. Je ne voulais pas quitter mon armure. La discussion s'envenima. Soudain, mon père voulut me dévisser la tête, puis, faute d'y arriver, il s'attaqua à un de mes bras. Il ne me donnait pas le choix. Un couteau sortit du bout de mes doigts et lui lacéra la main. Il se mit à hurler et à me disputer. Je ne voulais rien entendre. Les oreilles de mon armure se bouchèrent et je n'entendis de ses cris qu'un écho lointain. Il était furieux.

Lorsque ma mère approcha, je pris mes jambes à mon cou. J'ouvris la porte et, dans le noir de la nuit, je partis en courant et j'ai jeté la clé de mon armure dans le premier caniveau.

Plus question de revenir en arrière. Plus question d'avoir peur à nouveau. Si mes parents ne voulaient pas accepter ce que j'étais devenu, tant pis. Je les reniais. Je n'avais plus de parents. J'étais suffisamment fort et puissant pour me passer d'eux. Après tout, j'avais désormais la force et la taille d'un homme. Je n'étais plus un enfant. Personne ne viendrait me dire quoi faire et comment le faire. Durant toute la nuit, je marchai sur le chemin. Je sortis de la ville, parcourus la campagne et j'atteignis la ville voisine.

Durant plusieurs jours, je me cachai dans une maison abandonnée à l'abri des regards. Le soir, je sortais et j'allais voler du pain et des biscuits au marché du coin. Personne n'osait me dénoncer. Le premier qui l'aurait fait aurait eu affaire à moi.

Quinze ans

Un soir, alors que je m'apprêtais à voler un petit commerçant, trois jeunes voyous m'interpellèrent et se joignirent à moi pour dévaliser le commerce. Le propriétaire se rebella et je le plaquai au sol avec une telle force qu'il perdit connaissance. Mes compagnons en profitèrent pour voler tout son argent, des pizzas et de la bière.

Au cours de la nuit, on mangea et on se partagea le butin. Comme j'étais le plus fort et que je n'avais peur de rien, je devins le chef de notre bande de voleurs. Tous les soirs, nous inventions de nouvelles tactiques pour dévaliser les magasins et les habitations. Le jour, nous passions la journée à dormir, à nous cacher et à nous trouver les meilleurs et les plus forts. Et le meilleur des meilleurs, le plus fort des plus forts, c'était moi ! J'étais le chef. Tous me craignaient parce que, dès que l'un d'entre eux osait me défier, il recevait une décharge électrique, un coup de couteau ou je l'étranglais avec une chaîne. Je n'avais peur de rien. J'étais le chef, le plus fort, le plus dur.

Un soir, comme tous les soirs, je m'étais caché avec ma bande dans le recoin sombre d'une ruelle. Nous attendions qu'un passant ait la mauvaise idée de tomber dans notre piège. Comme d'habitude, au moment où il s'y attendrait le moins, je sortirais de l'ombre avec vacarme. Avant qu'il ne s'en rende compte, le pauvre bougre recevrait une décharge électrique et je le plaquerais contre le mur. Mes acolytes lui videraient les poches. Comme d'habitude, il n'aurait pas d'autre choix que de se taire. Un couteau lui chatouillerait la gorge. En moins de temps qu'il n'en faut, je lâcherais le bonhomme et, à toutes jambes, nous serions de retour dans notre cachette.

Ce soir-là, nous nous apprêtions à reprendre notre stratagè-

me lorsque, tout à coup, deux jeunes filles s'engagèrent dans la ruelle. Chacune d'elles portait un gros sac de sport. Elles discutaient. Il faisait presque nuit. Seul un lampadaire frissonnant éclairait un coin du « couloir de la mort », comme nous aimions l'appeler.

— Hé ! Les filles, poussa Beau Bob en apparaissant comme un fantôme.

— C'est pas une heure pour se promener, relança Ti-Guy-la-Terreur, vous pourriez rencontrer de grands méchants loups, houuuuu !

— Ça suffit maintenant, ordonnai-je de ma voix rauque et imposante. Maintenant, videz vos poches et donnez-nous vos sacs de sport.

Les filles se blottirent l'une contre l'autre en guise de défense. Inutile. J'étais le plus fort.

— Victor ? C'est toi Victor ? s'étonna une des jeunes filles. C'est bien toi, je te reconnais. Tu as disparu depuis des années. Tu te souviens de moi ?

Mon ancienne vie me rattrapait. Cette jeune femme si jolie

n'était nulle autre que ma première flamme. Ma petite Sissi. J'eus un instant de surprise. En fait, je ressentis un vieux sentiment que j'avais presque oublié. Comme un souvenir de la peur. Les gars de la bande me regardèrent, étonnés de me sentir ébranlé.

— Je ne sais pas qui tu es. Je ne te connais pas, criai-je en lui serrant les bras.

— Tu me fais mal, hurla Sissi. Tu me fais peur !

— Tant mieux, répondis-je en la poussant par terre avec force. Continue à avoir peur de moi. C'est mieux comme ça.

— Tu es devenu un monstre, Victor. Un monstre, répéta Sissi pendant que nous nous éloignions avec leur argent et leur équipement de sport.

Oui, j'étais devenu un monstre et j'en étais fier !

Dix-huit ans

Les années passèrent. Mon armure me servait toujours à être le plus fort et à faire peur à tous ceux qui ne voulaient pas se soumettre à mon autorité. Je dirigeais un gang de plus en plus puissant et violent. J'étais devenu le roi de la rue et de l'arnaque. Les policiers voulaient me piéger, mais je réussissais toujours à les déjouer.

Et puis, un jour, nous avons volé une camionnette et sa cargaison de radios et de téléviseurs. Nous nous apprêtions à quitter la ville lorsqu'une voiture de police tenta de nous intercepter. Une folle poursuite s'engagea dans les rues. En peu de temps, des gyrophares apparurent de tous les côtés. Beau Bob roulait à tombeau ouvert. Soudain, le crissement des pneus s'étrangla au bord de la route. Notre camionnette dérapa, quitta la chaussée et fit plusieurs tonneaux dans un fracas de tôle froissée.

Lorsque je repris conscience, j'étais allongé sur une table de métal. Un gardien m'aida à me relever. J'étais en prison et des centaines de prisonniers me regardaient me déplacer lourdement. Un ordre me glaça le sang.

— Enlevez votre armure, résonna une voix dans un haut-parleur.

Mon arrestation tournait au cauchemar.

— Pas question que je retire mon armure ! répliquai-je.

— Gardiens ! ordonna la voix, emparez-vous de lui et retirez-lui son armure.

Huit gardiens armés de scies à métaux et de marteaux s'approchèrent rapidement de moi. Je m'apprêtais à lancer toutes mes armes à l'attaque, mais plus rien ne fonctionnait. La décharge électrique ne réussissait qu'à faire de ridicules étincelles. Mon lance-flammes crépitait sans flamme. La lame de mon couteau était brisée. Je n'avais plus de force. J'étais à leur merci.

En peu de temps, ils réussirent à ouvrir la porte de mon dos, et une main ferme m'empoigna par le cou.

— Très bien, très bien, je vais sortir, hurlai-je d'une petite voix.

Je déposai un pied à l'extérieur de mon armure. Et puis une jambe, et puis le corps, et puis la tête... Je m'étonnai de revoir ce corps si longtemps oublié. Toutes ces années passées dans cette armure ne m'avaient pas permis de grandir. J'étais resté le petit enfant qui y était entré. Je me croyais être devenu un homme, mais, au fond, je n'avais jamais grandi.

Et puis un grand rire retentit entre les murs de la prison. Tous riaient de moi et me pointaient du doigt. Même Beau Bob et Ti-Guy-la-Terreur souriaient de me voir si désemparé.

Je sentis, sur ma jambe, un filet d'urine glisser jusqu'à mes pieds.

Les rires s'élevèrent encore plus fort. Ils me brisaient les tympans.

Tous riaient de me voir si petit. Le monde entier riait de moi. Ils avaient eu si peur depuis si longtemps d'un si petit homme.

Onze ans

— Victor, Victor ! Tu m'entends ? interrogeait mon père. Tu es tombé dans les pommes, mon garçon. Ton costume d'Halloween est extraordinaire, mais tu ne peux pas le garder. Tu n'arrives pas respirer là-dessous. Victor, Victor ! Tu m'entends ?

— Papa, papa, c'est toi ? C'est bien toi ? balbutiai-je. J'ai rêvé ? Je ne suis pas en prison ? Je n'ai pas gardé mon armure ? Je ne me suis pas enfui ?

— Calme-toi, reprit papa. Tu es toujours à la maison. Retire cette armure et viens manger un morceau. Tu vas reprendre des forces. Tu as perdu connaissance, mais ce n'est rien. Tout cet accoutrement est extraordinaire, mais beaucoup trop chaud. Tu vas étouffer là-dedans. L'Halloween est terminée et tu as de l'école demain !

Ce n'était qu'un rêve. J'étais si heureux d'être encore un enfant.

Soixante-six ans

Au cours des jours qui suivirent, morceau par morceau, j'ai démonté l'armure derrière laquelle je dissimulais mes peurs et mes peines, mes angoisses et mes doutes. Puis j'ai appris à vivre avec moi-même, avec mes limites, mes choix, mes forces et mes talents. Tout n'a pas toujours été facile.

Le lendemain de l'Halloween, lorsque je suis retourné à l'école, je n'avais plus l'armure que je portais la veille. Je redevenais le Victor timide et maladroit que j'étais. Mes peurs rôdaient toujours autour de moi. Mais, cette fois, j'étais convaincu que je parviendrais à les surpasser, les comprendre et les apprivoiser. Si je ne pouvais pas les fuir, je devais les affronter.

Du jour au lendemain, rien n'avait vraiment changé, mais je savais que j'avais grandi. Plus jamais je ne tenterais de me cacher derrière une image qui n'était pas la mienne. Maintenant, je savais qu'il faut mille fois plus de courage pour devenir un homme et affronter ses peurs que de se croire un dur à cuire et de faire peur à tout le monde.

Maintenant, je me faisais confiance. Je n'étais pas toujours à mon goût. Je n'étais pas toujours aussi fort et aussi beau que j'aurais aimé l'être. Mais j'étais moi. Et si je rougissais parfois, si j'avais peur de tout et de rien. Je possédais aussi un coeur en or, une sensibilité peu ordinaire et un sacré talent pour la mécanique et la création de robot ! Maintenant, je n'aurais plus jamais peur de grandir.

Plusieurs années après, alors que j'avais ouvert mon laboratoire de fabrication de dentiers, j'ai rencontré Sissi. Comme dans mon rêve, elle était devenue une jeune femme aussi belle qu'intelligente. Sissi est devenue mon amoureuse et la mère de nos enfants.

Même à mon âge, aimer et être aimé me permet encore de grandir chaque jour !

Denis Vézina

Photo : Gabrielle Vézina

Dans ma vie, j'ai croisé des personnes qui ont si peur d'aimer et d'être aimées qu'elles préfèrent se cacher d'elle-même et des autres. Il arrive souvent que ces personnes aient été traitées injustement lorsqu'elles étaient petites. Depuis leur enfance, elles transportent, comme un secret, une peine qui n'a jamais cessé de grossir. Pour la cacher, elles ont choisi de s'oublier et de tout oublier au fond d'une armure invincible. Tout comme Victor, l'armure est efficace : personne ne peut s'en approcher sans se blesser. Le problème, c'est que dans cette armure, elles oublient aussi de grandir, de vivre, d'aimer et d'être aimées.

J'en ai conclu que c'est dès le plus jeune âge qu'il faut dire et dénoncer des situations que l'on juge injustes. Ce n'est pas parce qu'on est petit que nos problèmes sont petits. Ce n'est pas parce qu'on est un enfant, qu'on ne peut pas dire qu'une situation n'a pas de bon sens ou dire à un adulte que sa manière d'agir n'a pas d'allure.

Croyez-moi, mieux vaut parler, discuter et trouver des solutions que de se construire une armure qui semble nous protéger, mais qui, au fond, nous enferme dans une vie de peine et de colère.

Lise Poupart

Photo : Denis Vézina

J'ai beau être une grande personne, l'histoire de Victor m'a beaucoup touchée. Dans ma profession de criminaliste, je travaille avec les familles et les enfants qui sont aux prises avec des problèmes de violence. Tu sais, il y a beaucoup d'enfants, peut-être en connais-tu, qui ont souvent de la peine, qui se sentent rejetés par les autres ou qui préfèrent se cacher derrière une armure et jouer au dur, comme Victor.

Chose certaine, je suis convaincue que plus une personne exprime vraiment ce qu'elle ressent, plus elle se donne les moyens de devenir heureuse. Peut-être que toi ou un de tes amis vous vivez des choses difficiles à la maison ou à l'école. Il se peut aussi que tu te sentes seul et troublé par les sentiments qui t'habitent.

Je sais bien que parler de tout ça n'est pas toujours facile. Il faut d'abord trouver une personne de confiance. Tu peux te confier à un ami, à ton père ou à ta mère… Mais parfois, tu dois surmonter ta gêne et aller parler à ton professeur ou au travailleur social de l'école ou encore, si tu le préfères, tu peux appeler Tel-Jeunes, c'est une ligne d'écoute spécialement conçue pour les jeunes. Là, on t'écoutera vraiment, enfin ! Je te laisse le numéro de téléphone : 1-800-263-2266. Où que tu sois, c'est sans frais. Tu peux aussi donner ce numéro à un ami si tu veux.

MA PETITE VACHE A MAL AUX PATTES

1. *C'est parce que...*, de Louis Émond, illustré par Caroline Merola.
2. *Octave et la dent qui fausse*, de Carmen Marois, illustré par Dominique Jolin.
3. *La chèvre de monsieur Potvin*, de Angèle Delaunois, illustré par Philippe Germain, finaliste au Prix M. Christie 1998.
4. *Le bossu de l'île d'Orléans*, une adaptation de Cécile Gagnon, illustré par Bruno St-Aubin.
5. *Les patins d'Ariane*, de Marie-Andrée Boucher Mativat, illustré par Anne Villeneuve.
6. *Le champion du lundi*, écrit et illustré par Danielle Simard.
7. *À l'éco...l...e de monsieur Bardin*, de Pierre Filion, illustré par Stéphane Poulin, Prix Communication-Jeunesse 2000.
8. *Rouge Timide*, écrit et illustré par Gilles Tibo, Prix M. Christie 1999.
9. *Fantôme d'un soir*, de Henriette Major, illustré par Philippe Germain.
10. *Ça roule avec Charlotte !*, de Dominique Giroux, illustré par Bruno St-Aubin.
11. *Les yeux noirs*, de Gilles Tibo, illustré par Jean Bernèche. Prix M. Christie 2000.
12. Ce titre est retiré du catalogue.
13. *L'Arbre de Joie*, de Alain M. Bergeron, illustré par Dominique Jolin. Prix Boomerang 2000.
14. *Le retour de monsieur Bardin*, de Pierre Filion, illustré par Stéphane Poulin.
15. *Le sourire volé*, de Gilles Tibo, illustré par Jean Bernèche.

16. *Le démon du mardi*, écrit et illustré par Danielle Simard. Prix Boomerang 2001.
17. *Le petit maudit*, de Gilles Tibo, illustré par Hélène Desputeaux.
18. *La Rose et le Diable*, de Cécile Gagnon, illustré par Anne Villeneuve.
19. *Les trois bonbons de monsieur Magnani*, de Louis Émond, illustré par Stéphane Poulin.
20. *Moi et l'autre*, de Roger Poupart, illustré par Marie-Claude Favreau.
21. *La clé magique*, de Gilles Tibo, illustré par Jean Bernèche.
22. *Un cochon sous les étoiles*, écrit et illustré par Jean Lacombe.
23. *Le chien de Pavel*, de Cécile Gagnon, illustré par Leanne Franson. Finaliste au Prix du Gouverneur général 2001.
24. *Frissons dans la nuit*, de Carole Montreuil, illustré par Bruno St-Aubin.
25. *Le monstre du mercredi*, écrit et illustré par Danielle Simard.
26. *La valise de monsieur Bardin*, de Pierre Filion, illustré par Stéphane Poulin.
27. *Zzzut !* de Alain M. Bergeron, illustré par Sampar. Prix Communication-Jeunesse 2002.
28. *Le bal des chenilles* suivi de *Une bien mauvaise grippe,* de Robert Soulières, illustré par Marie-Claude Favreau.
29. *La petite fille qui ne souriait plus*, de Gilles Tibo, illustré par Marie-Claude Favreau. Finaliste du Prix M. Christie 2002. Prix Odyssée 2002, Prix Asted 2002.
30. *Tofu tout flamme*, de Gaétan Chagnon, illustré par Philippe Germain.
31. *La picote du vendredi soir*, de Nathalie Ferraris, illustré par Paul Roux.

32. *Les vacances de Rodolphe*, de Gilles Tibo, illustré par Jean Bernèche.
33. *L'histoire de Louis Braille*, de Danielle Vaillancourt, illustré par Francis Back. Prix Boomerang 2003.
34. *Mineurs et vaccinés,* de Alain M. Bergeron, illustré par Sampar. 2e position au Palmarès de Communication-Jeunesse 2003.
35. *Célestin et Rosalie,* de Cécile Gagnon, illustré par Stéphane Jorisch.
36. *Le soufflé de mon père,* d'Alain Raimbault, illustré par Daniel Dumont.
37. *Beauté monstre,* de Carmen Marois, illustré par Anne Villeneuve. Prix d'illustration du Salon du livre de Trois-Rivières 2003, catégorie Petit roman illustré.
38. *Plume, papier, oiseau,* de Maryse Choinière, illustré par Geneviève Côté. Finaliste au Prix d'illustration du Salon du livre de Trois-Rivières 2003, catégorie Petit roman illustré.
39. *Gustave et Attila*, de Marie-Andrée Boucher Mativat, illustré par Pascale Bourguignon. Prix d'illustration du Salon du livre de Trois-Rivières 2003, catégorie Relève.
40. *Le trésor d'Archibald*, de Carmen Marois, illustré par Anne Villeneuve.
41. *Joyeux Noël monsieur Bardin !* de Pierre Filion, illustré par Stéphane Poulin.
42. *J'ai vendu ma sœur*, écrit et illustré par Danielle Simard. Prix du Gouverneur général du Canada 2003, finaliste au Prix d'illustration du Salon du livre de Trois-Rivières 2003, catégorie Petit roman illustré.
43. *Les vrais livres,* de Daniel Laverdure, illustré par Paul Roux.
44. *Une flèche pour Cupidon,* de Linda Brousseau, illustré par Marie-Claude Favreau.

45. *Guillaume et la nuit,* de Gilles Tibo, illustré par Daniel Sylvestre.
46. *Les petites folies du jeudi*, écrit et illustré par Danielle Simard. Prix Communication-Jeunesse 2004 et Grand Prix du livre de la Montérégie 2004.
47. *Justine et le chien de Pavel*, de Cécile Gagnon, illustré par Leanne Franson.
48. *Mon petit pou,* d'Alain M. Bergeron, illustré par Sampar. 4e position au Palmarès de Communication-Jeunesse 2004.
49. *Archibald et la reine Noire*, de Carmen Marois, illustré par Anne Villeneuve.
50. *Autour de Gabrielle*, recueil de poèmes d'Édith Bourget, illustré par Geneviève Côté. Prix France-Acadie 2004, Finaliste au Prix du Gouverneur général du Canada 2004.
51. *Des bonbons et des méchants*, de Robert Soulières, illustré par Stéphane Poulin.
52. *La bataille des mots*, de Gilles Tibo, illustré par Bruno St-Aubin.
53. *Le macaroni du vendredi*, écrit et illustré par Danielle Simard.
54. *La vache qui lit*, écrit et illustré par Caroline Merola.
55. *M. Bardin sous les étoiles*, de Pierre Filion, illustré par Stéphane Poulin.
56. *Un gardien averti en vaut... trois*, d'Alain M. Bergeron, illustré par Sampar.
57. *Marie Solitude*, de Nathalie Ferraris, illustré par Dominique Jolin.
58. *Maîtresse en détresse*, de Danielle Simard, illustré par Caroline Merola, Grand Prix du livre de la Montérégie – Prix du public 2006.
59. *Dodo, les canards !* d'Alain Raimbault, illustré par Daniel Dumont.

60. *La chasse à la sorcière*, de Roger Poupart, illustré par Jean-Marc St-Denis.
61. *La chambre vide*, de Gilles Tibo, illustré par Geneviève Côté. Finaliste au Prix des bibliothèques de la Ville de Montréal 2006.
62. *Dure nuit pour Delphine*, de Johanne Mercier, illustré par Christian Daigle.
63. *Les tomates de monsieur Dâ*, d'Alain Ulysse Tremblay, illustré par Jean-Marc St-Denis.
64. *Justine et Sofia*, de Cécile Gagnon illustré par Leanne Franson.
65. *Le mauvais coup du samedi*, écrit et illustré par Danielle Simard. Grand Prix du livre de la Montérégie – Prix du public 2007, 2e position au Palmarès de Communication-Jeunesse 2007.
66. *Les saisons d'Henri*, recueil de poèmes d'Édith Bourget, illustré par Geneviève Côté. Finaliste au Prix du Gouverneur général du Canada 2006.
67. *Jolie Julie*, de Gilles Tibo illustré par Marie-Claude Favreau.
68. *Le jour de l'araignée*, d'Alain M. Bergeron, illustré par Bruno St-Aubin.
69. *La classe de neige*, d'Alain M. Bergeron, illustré par Sampar.
70. *Am stram gram et calligrammes*, de Robert Soulières, illustré par Caroline Merola.
71. *Le petit écrivain* de Gilles Tibo, illustré par Linda Lemelin.
72. *Edgar, la bagarre* de Roger Poupart, illustré par Marie Lafrance.
73. *Delphine au château* de Johanne Mercier, illustré par Christian Daigle.
74. *Les recettes de ma mère* d'Alain Ulysse, illustré par Jean Morin.

75. *Pas de chance, c'est dimanche !* écrit et illustré par Danielle Simard.
76. *Dominic en prison,* d'Alain M. Bergeron, illustré par Sampar.
77. *Houdini,* de Danielle Vaillancourt, illustré par Francis Back.
78. *Victor et Victor*, de Denis Vézina, illustré par Philippe Béha.
79. *La vraie vie goûte les biscuits,* recueil de poèmes de Guy Marchamps, illustré par Marie-Claude Favreau.
80. *Monsieur Bardin et les poissons d'avril,* de Pierre Filion, illustré par Stéphane Poulin.
81. *Face de clown,* d'Alain M. Bergeron, illustré par Martin Goneau.
82. *Justine au pays de Sofia,* de Cécile Gagnon, illustré par Leanne Franson.
83. *Pio Tchi aux grands pieds,* d'Alain Ulysse Tremblay, illustré par Jean Morin.
84. *Victor, l'invincible,* de Denis Vézina, illustré par Philippe Béha.

Ce livre a été imprimé sur du papier Sylva enviro 100 % recyclé, traité sans chlore, accrédité Éco-Logo et fait à partir d'énergie biogaz.

Achevé d'imprimer
sur les presses de Marquis Imprimeur
en janvier 2008